당신이 새롭게 탐험할 바다 세계에 오신 것을 환영합니다!
이 컬러링북은 끝없는 바다의 신비한 아름다움을 당신과 함께 나누기 위해 만들어졌습니다. 바다 생물의 다채로운 모습과 놀라운 특성을 발견하면서 창의적인 상상력을 자극하고, 동시에 저마다 갖고 있는 바닷가의 추억과 아름다움을 경험할 수 있습니다.

이 작품은 단순히 생물에 대한 컬러링이 아니라,
우리가 바다에서 발견할 수 있는 생명의 다양성과 미래 환경에 대한 긍정적인 경험을 만들어 나가려 합니다.
우리가 바다를 보호하고 존중하는 것은 우리 자신과 미래 세대에게도 큰 의미를 갖습니다.
색칠을 하시는 동안 바다 생물의 아름다움 뿐만 아니라, 우리가 해양환경을 위해 무엇을 할 수 있을까 함께 생각해주시기 바랍니다.

바다생물에 나만의 색을 입히면서 당신의 상상력을 자극하고, 자연을 사랑하며 존중하는 마음을 다시금 느끼게 하는 계기가 되었으면 합니다. 고요한 내면의 나와 함께 바다의 신비한 여정을 떠나 해양 생물에 대한 애정과 경이로움을 찾으시기 바랍니다.

여러분께서 이 여정을 즐기는 동안 바다 생물에 관한 새로운 시선을 발견하실 것을 기대합니다!

어느 바닷가의 추억
컬러링북

Coloring Book
Memories of a beach

발 행 | 2024년 06월 19일

저 자 | 한미선

펴낸이 | 한건희

펴낸곳 | 주식회사 부크크

출판사등록 | 2014.07.15(제2014-16호)

주 소 | 서울특별시 금천구 가산디지털1로 119 SK 트윈타워 A동 305호

전 화 | 1670-8316

이메일 | info@bookk.co.kr

ISBN | 979-11-410-9026-5

www.bookk.co.kr